LES COPAINS DU COIN

OPÉRATION RÉCUPÉRATION

Larry Dane Brimner • Illustrations de Christine Tripp
Texte français d'Hélène Pilotto

Éditions
SCHOLASTIC

À mes amis de l'école primaire Fulton, à San Diego
— L.D.B.

À ma tante, Edith Drew
— C.T.

Catalogage avant publication de Bibliothèque
et Archives Canada

Brimner, Larry Dane
Opération récupération / Larry Dane Brimner; illustrations de
Christine Tripp; texte français d'Hélène Pilotto.

(Les Copains du coin)
Traduction de : Trash Trouble.

Pour les 4-8 ans.
ISBN-13 978-0-439-95824-0
ISBN-10 0-439-95824-5

I. Tripp, Christine II. Pilotto, Hélène III. Titre. IV.
Collection : Brimner, Larry Dane Copains du coin.

PZ23.B7595Op 2005   j813'.54   C2004-906752-4

Édition publiée par les Éditions Scholastic, 604, rue King Ouest, Toronto (Ontario) M5V 1E1.

7 6 5 4 3   Imprimé au Canada   08 09 10 11 12

Un livre sur

la protection
de la nature

Monsieur Tougas siffle un coup.

— C'est l'heure, dit JP.

Les Copains du coin terminent
leur dîner et se lèvent.

JP, Gaby et Alex se surnomment
les Copains du coin, car ils habitent
tous les trois au coin de la même rue.

Alex et Gaby ramassent leurs déchets et les jettent à la poubelle. Ils courent rejoindre JP, qui est déjà en file.

Les autres élèves de la classe de deuxième année de monsieur Tougas se mettent aussi en file. Ils se rendent tous au Centre de la nature, à la recherche d'insectes.

CENTRE
DE LA
NATURE

Les élèves se rassemblent autour de la guide.

— Ne quittez pas le sentier, murmure-t-elle. Les insectes se cachent parfois sous les feuilles. Alors, ouvrez l'œil. Ne les dérangez pas. Nous voulons seulement les observer. Nous inscrirons leur nom dans notre carnet.

À cet instant, Alex aperçoit
quelque chose.

— Hé! s'écrie-t-il.

Il montre du doigt un sac-repas.

Le sac se déplace bizarrement
ici et là.

— Il y a quelque chose là-dedans, dit Gaby. Quelque chose de vivant! Qu'est-ce que ça peut bien être?

La guide s'approche. Elle soulève le sac.

— Oh! murmurent les enfants.

C'est un oiseau.

Il regarde autour de lui,
puis il s'envole.

Tout le monde sourit.

Quelle chance que l'oiseau
ne soit pas blessé!

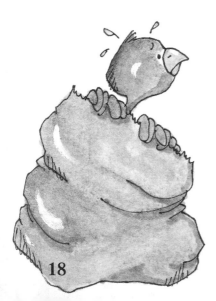

— Les déchets causent bien des ennuis, explique la guide. Les animaux y restent parfois coincés.

JP se met à réfléchir.

Qu'a-t-il fait de son sac-repas?

Tout à coup, il se rappelle.

— Ce sac est peut-être le mien, dit-il, tout triste. Je n'ai pas jeté mes déchets à la poubelle.

JP jette un coup d'œil aux alentours.

Il y a d'autres déchets au Centre de la nature.

Il y en a même qui flottent dans le ruisseau.

— J'ai une idée, s'écrie-t-il. Si on nettoyait le Centre en même temps qu'on cherche des insectes?

La guide sourit.

— Quelle bonne idée!

Tout le monde est d'accord.

De retour à l'école, JP explique à monsieur Tougas qu'il veut faire sa part pour protéger la nature.

Le jour suivant, il est déjà au travail.

Titres de la collection

LES COPAINS DU COIN

La boîte des copains

Le chien à garde partagée

Le chien savant

Le grand nettoyage

Le manteau cool

Un match à la gomme

Opération récupération

Où est l'argent?

Le pot de nouilles

La p'tite nouvelle

Tout le monde à l'eau!

Le truc qui brille